LUCKY LUKE 11

LUCKY LUKE
contre JOSS JAMON

DUPUIS

MARCINELLE-CHARLEROI ★ PARIS ★ MONTREAL ★ BRUXELLES ★ LA HAYE

1865

...LA GUERRE DE SÉCESSION QUI RAVAGEA LES ÉTATS UNIS VIENT DE SE TERMINER PAR LA DÉFAITE DES ÉTATS DU SUD.

SIX SINISTRES INDIVIDUS, DÉMOBILISÉS APRÈS LA DÉFAITE, SE DEMANDENT COMMENT ILS ARRIVERONT À SUBSISTER EN TEMPS DE PAIX...

..IL S'AGIT DE **PETE L'INDÉCIS**, HOMME RUSÉ QUI A REÇU SON SURNOM EN CHANGEANT DE COTÉ PLUSIEURS FOIS PENDANT LA GUERRE, AU HASARD DES BATAILLES...,

JACK LE MUSCLE, ÉPAIS PHYSIQUEMENT ET INTELLECTUELLEMENT,

JOE LE PEAU-ROUGE, INDIEN SCALPEUR, BRILLANTE RÉUSSITE COMME ESPION,

SAM LE FERMIER, UN ACCIDENT DE LA NATURE, IL BÉNÉFICIE D'UNE BONNE TÊTE D'HONNÊTE HOMME,

BILL LE TRICHEUR, LE SEUL À AVOIR GAGNÉ UN RÉGIMENT À SON CAPITAINE, N'A PAS SON PAREIL POUR OUVRIR UN COFFRE-FORT,

..ET BIEN ENTENDU **JOSS JAMON** ACCEPTÉ PAR TOUS COMME CHEF INCONTESTÉ...UN AFFREUX...

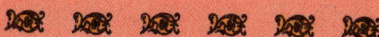

TOUT ÊTRE VIVANT FUIT DEVANT LA SINISTRE CARAVANE...

HALTE!, LES AMIS! UNE FERME, LÀ-BAS! NOUS POURRONS NOUS FAIRE LA MAIN...

ET DANS LA FERME...

ALLONS-Y!.. FÊTONS LA FIN DE CETTE HORRIBLE GUERRE!

PAPA... SIX ÉTRANGERS APPROCHENT..

QU'ILS VIENNENT! ILS SE JOINDRONT AU "SQUARE-DANCE"

MAIS UNE DEMI-HEURE PLUS TARD....

MEUHHH...

QUE S'EST-IL PASSÉ?

PAPA! UN AUTRE CAVALIER APPROCHE..

UNE FERME, LÀ-BAS, JOLLY JUMPER... NOUS POURRONS NOUS REPOSER...

PEU HOSPITALIERS, LES GENS D'ICI...

PAN! PAN!

UN PEU CHAUD, COMME RÉCEPTION, HEIN, JOLLY? TANT PIS, CONTINUONS NOTRE CHEMIN...

UNE VILLE! NOUS FERONS ÉTAPE...

LOS PALITOS CITY
CITÉ DE LA JOIE ET DE LA PAIX
ÉTRANGER, SI TES INTENTIONS SONT MAUVAISES, NOUS TE METTRONS DU PLOMB DANS LA CERVELLE

C'EST PLUTÔT CALME ICI...

IL Y A EU DU GRABUGE DANS LE SALOON...

LA BANQUE A ÉTÉ ATTAQUÉE

TOUT CELA NE ME DIT RIEN QUI VAILLE...

C'EN EST UN!!

UN QUOI?

GENERAL STORE

C'EST UN DES BANDITS QUI ONT RAVAGÉ NOTRE BELLE VILLE! JE LE RECONNAIS!! C'EST UN DES BANDITS! PENDEZ-LE!

MORRIS

OUI! QU'ON LE PENDE!

QU'ON LE PENDE HAUT ET COURT!

À L'ARBRE!

HÉ HÉ! C'EST JOSS JAMON QUI VA RIRE...

437

LA TRACE DES BANDITS NOUS MÈNE À FRONTIER CITY, JOLLY JUMPER...

ATTENDS-MOI LÀ, JE VAIS AUX RENSEIGNEMENTS DANS LE SALOON...

HMM... PAS GRAND MONDE... RIEN QU'UNE DEMI-DOUZAINE DE CLIENTS...

TIENS! L'HOMME QUI VOULAIT ME FAIRE PENDRE...

PSPROUTCH!

COMMENT? PAS ENCORE PENDU?

DÉSOLÉ DE NE PAS ÊTRE AU MAUVAIS BOUT D'UNE CORDE... C'ÉTAIT UNE ERREUR JUDICIAIRE...

HEUREUX DE VOIR LA JUSTICE TRIOMPHER... ASSEYEZ-VOUS!

MERCI...

ON DEVRAIT ARRÊTER CES BANDITS!

OUI! C'EST UNE HONTE! DEPUIS LA FIN DE LA GUERRE, LES FERMIERS ISOLÉS DOIVENT ABANDONNER LEURS BIENS!

ET PERSONNE N'OSE S'ATTAQUER À CES BANDITS!...

SI... JE SUIS CHARGÉ DE RAMENER LES BANDITS À LOS PALITOS, MORTS OU VIFS, DANS UN DÉLAI DE SIX MOIS...

— MORRIS

440

8

BONSOIR, MESSIEURS. JE VAIS LOUER UNE CHAMBRE À L'HÔTEL POUR PASSER LA NUIT...

CE GRINGALET PEUT NOUS GÊNER! IL FAUT QU'UN DE NOUS AILLE NOUS EN DÉBARRASSER!...

MOI!

NON, MOI, JOSS, MOI!

ET POURQUOI PAS MOI?

MOI, MAÎTRE?

ALLONS! NE VOUS DISPUTEZ PAS. NOUS ALLONS FAIRE ÇA AUX DÉS... LE PREMIER QUI FAIT 12 POINTS Y VA... À TOI, BILL-LE-TRICHEUR!!

13! J'AI GAGNÉ!

DISQUALIFIÉ! VILAIN TRICHEUR! À TOI, JACK-LE-MUSCLE!

12! J'AI GAGNÉ!

J'AI GAGNÉ! J'AI GAGNÉ!!

JE VAIS L'ASSOMMER, C'EST PLUS SPORTIF...

TIENS, JE CROIS QUE VOILÀ DES VISITES POUR MOI... EH BIEN, ON VA LE RECEVOIR...

PERSONNE... PARFAIT!

UN PEU DE SAVON NE PEUT PAS FAIRE DE TORT À CET ESCALIER MAL TENU...

AH! UN CLIENT... MONSIEUR DÉSIRE UNE CHAMBRE?

UN GRINGALET EST VENU ICI LOUER UNE CHAMBRE ...OÙ EST CETTE CHAMBRE? ---VITE!

MAIS... MAIS...

PRE...PREMIER ÉTAGE... LA PO... LA PORTE EN FACE DE L'ESCALIER..

FAUDRA VOIR À NE PAS ME DÉRANGER PENDANT QUE JE DISCUTE AVEC LE GRINGALET---

CECI POURRA RENFORCER MES ARGUMENTS---

ZIP!...

CRAC!

Panel 1: MESSIEURS! JE BOIS À NOS SUCCÈS...

BANK BUREAU DIRECTORIAL

Panel 2: HAUT LES MAINS!

GLLOUP!

Panel 3: LE PREMIER QUI BOUGE, JE FAIS DES TROUS DEDANS!..

MON CHER MONSIEUR, IL S'AGIT D'UNE REGRETTABLE ERREUR.. NOUS SOMMES PERSUADÉS QUE NOUS POUVONS CALMEMENT DISCUTER...

Panel 4: ASSEZ DISCUTÉ! DONNEZ-MOI TOUT L'ARGENT QUI EST DANS VOTRE COFFRE!..

MAIS... VOUS NOUS AVEZ DIT DE NE PAS BOUGER... IL FAUDRAIT SAVOIR..

Panel 5: QUELLE ÉPOQUE, TOUT DE MÊME!

VOUS ÊTES BIEN AIMABLE!

Panel 6: LUCKY LUKE!

JE VOULAIS VOIR SI L'ARGENT ÉTAIT VRAIMENT EN SÛRETÉ ICI...CETTE EXPÉRIENCE ME SEMBLE CONCLUANTE..

C'EST VRAI, ÇA!

L'ÉTRANGER A RAISON!

C'EST PAS SÉRIEUX

Panel 7: MAIS... MESSIEURS, JE VOUS EN PRIE...

RIEN À FAIRE! NOUS NE METTRONS PAS NOTRE ARGENT DANS CETTE BANQUE OÙ ON EST INCAPABLE DE SE DÉFENDRE!

Panel 8: AH! C'EST COMME ÇA! EH BIEN, LA GUERRE VA COMMENCER! ILS NE PERDENT RIEN POUR ATTENDRE!

SLAM!

Panel 9: ET VOUS, BANDE D'INCAPABLES, ALLEZ ME CONVAINCRE CES GOGOS DE DÉPOSER LEUR ARGENT DANS MA BANQUE --- **PAR N'IMPORTE QUEL MOYEN !!**

OUI, JOSS... BIEN SÛR, JOSS... AVEC JOIE, JOSS... TOUT DE SUITE, JOSS..

445

FRONTIER CITY EST EN EFFERVESCENCE...

LA DÉMONSTRATION DE LUCKY LUKE EST CONVAINCANTE...

ILS NE VERRONT PAS LA COULEUR DE MES ÉCONOMIES!

TU PARLES! PERSONNE NE POURRA ME FORCER À DÉPOSER MON ARGENT DANS CETTE BANQUE!

MÊME SI JE VOUS LE DEMANDAIS GENTIMENT?..

BEN... JE... HEU...

AILLEURS...

AVEZ-VOUS RÉFLÉCHI AUX AVANTAGES QU'IL Y A À DÉPOSER VOTRE ARGENT À LA BANQUE?..

CLIC

PLUS LOIN...

IL Y A TANT DE GENS IMPRUDENTS AVEC LEUR ARGENT. JOSS JAMON VOUDRAIT BIEN PROTÉGER LE VÔTRE..

DANS LES ENVIRONS...

MARCHE!

DANS UN AUTRE ENDROIT...

UGH!...

ET PEU APRÈS... VOICI LE RÉSULTAT D'UNE BONNE CAMPAGNE PUBLICITAIRE---

FRONTIER CITY BANK

MERCI, CHER AMI ET DÉPOSANT...

VERSEMENTS

RETRAITS

FERMÉ

OUVERT

HEP!

HEIN?..

SORTIE

EH BEN, EH BEN! ON VEUT GARDER SON ARGENT? IL FAUT TOUT DÉPOSER À LA BANQUE!

446

MESSIEURS! JOSS JAMON, NOUVEAU PROPRIÉTAIRE VOUS OFFRE UNE TOURNÉE GÉNÉRALE !..

FRONTIER CITY SALOON

PAS POUR MOI, MERCI! J'AIMAIS MIEUX L'ANCIEN PROPRIO !..

ÇA VA FAIRE DU VILAIN...

PAUVRE LUCKY LUKE!

IL AVAIT L'AIR BIEN BRAVE..

ET TOUT JEUNE AVEC ÇA..

CE SONT LES MEILLEURS QUI S'EN VONT!

BELLE BÊTE, QU'IL AVAIT !.. JE M'EN OCCUPE..

ARRIÈRE! JE L'AI VU LE PREMIER !!

JE PRENDS DES PARIS, MESSIEURS, SUR L'ÉVÉNEMENT SPORTIF DE FRONTIER CITY !

MON ARGENT EST À LA BANQUE MAIS JE PARIE CECI SUR JOSS JAMON...

NOUS ALLONS NOUS AMUSER UN PEU.. AH, TU NE VEUX PAS BOIRE !..

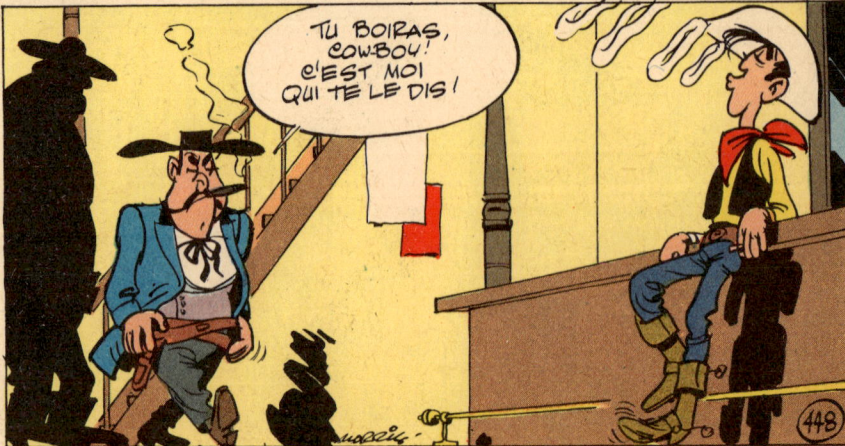

TU BOIRAS, COWBOY! C'EST MOI QUI TE LE DIS!

448

16

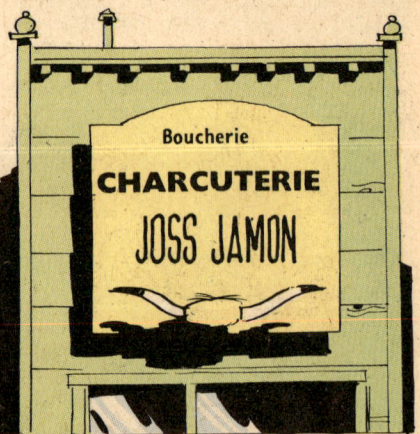

VOTEZ POUR JOSS JAMON

POUR UNE ADMINISTRATION HONNÊTE JOSS JAMON MAIRE DE FRONTIER CITY

DU PAIN ET DE LA BIÈRE POUR TOUT LE MONDE AVEC JOSS JAMON

NOUS AIMONS JOSS JAMON!

NOUS AIMONS JOSS JAMON

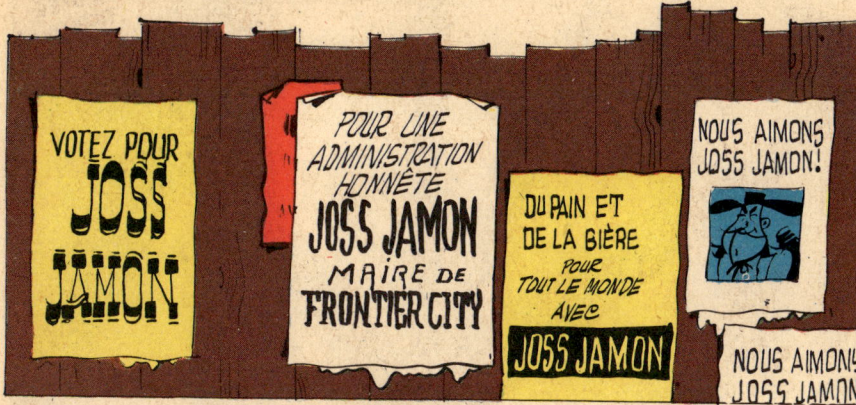

— MAIS DANS LA NUIT...

ET PUIS, LE LENDEMAIN...

JOSS! VIENS VITE! IL Y A DES ENNUIS!...

?!?

VOTEZ POUR LUCKY LUKE!

!!!

JAMON ET SA BANDE SONT DES ESCROCS

LUCKY a promis de mettre les bandits en prison avant 6 mois IL TIENDRA PAROLE!!

YOUPEE POUR LUCKY!

YOUPEE POUR LUCKY!

ÇA ALORS! UN AUTRE CANDIDAT! J'AI HORREUR DES ÉLECTIONS À PLUSIEURS CANDIDATS...

OUI! ÇA DONNE UNE IMPRESSION D'INCERTITUDE!...

EH BIEN, NOUS ALLONS ORGANISER UNE RÉUNION ÉLECTORALE! FAIS VENIR TOUT LE MONDE AU SALOON TOUT DE SUITE!

PAS DE QUESTIONS! TOUS AU SALOON! CEUX QUI PRÉFÈRENT S'ABSTENIR FERONT UN DÉTOUR CHEZ LE CROQUE-MORT!

MAIS... MAIS C'EST MOI, LE CROQUE-MORT...

MERCI D'ÊTRE VENUS SPONTANÉMENT AUSSI NOMBREUX! AVANT DE COMMENCER, QUELQU'UN A-T-IL DES QUESTIONS À POSER?

MOI, MONSIEUR JOSS! JE TROUVE QUE...

NOUS AIMONS JOSS JAMON!

CLOP!

NOUS AIMONS JOSS JAMON

... PUISQU'IL N'Y A PAS DE CONTRADICTEURS, JE COMMENCE: JE PROMETS UNE BELLE VIE À CEUX QUI VOTERONT POUR MOI ET UN BEL ENTERREMENT À TOUS LES AUTRES!

SALOON

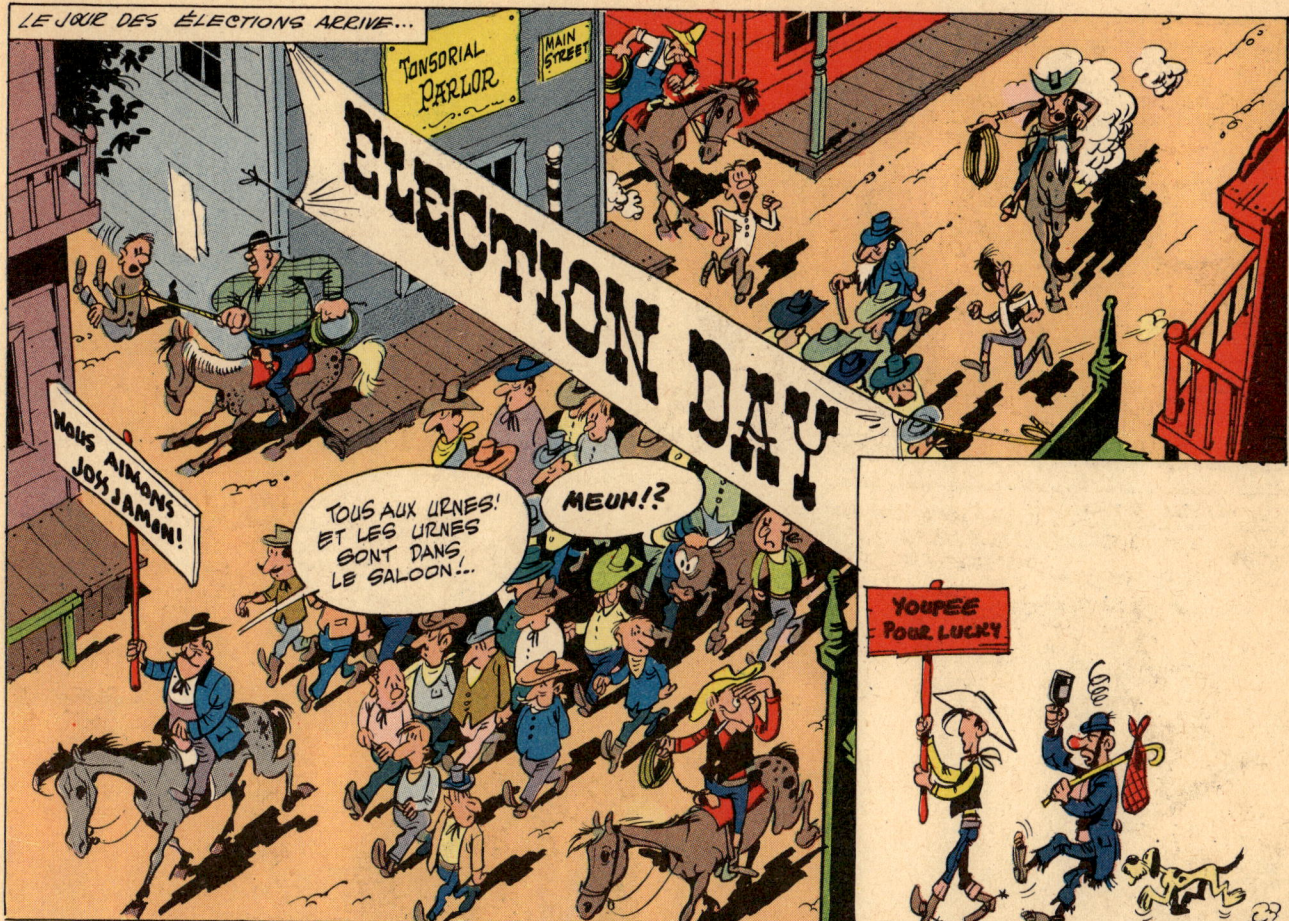

Panel 1: BON! BILL LE TRICHEUR, JE TE NOMME SHÉRIF; JACK LE MUSCLE, POLICIER; PETE L'INDÉCIS, TU T'OCCUPERAS DES FINANCES! SAM LE FERMIER, DES QUESTIONS AGRICOLES, JOE LE PEAU-ROUGE TU SERAS MON PORTE-PAROLE!

UGH...

Panel 2: C'EST MAINTENANT QU'ON VA TIRER DE L'ARGENT DE CETTE BONNE VILLE...

Panel 3: PENDANT CE TEMPS... LES GENS ONT COMPRIS QU'IL EST MALSAIN POUR EUX D'ÊTRE VUS AVEC MOI! ÇA NE SIMPLIFIE PAS LES CHOSES...

Panel 4: HIC

OUA

...POURTANT IL NE ME RESTE PLUS BEAUCOUP DE TEMPS... IL FAUT QUE JE RAMÈNE CES BANDITS À LOS PALITOS, SINON JE DOIS ALLER M'Y FAIRE PENDRE

Panel 5: ET FRONTIER-CITY SUBIT LA NOUVELLE ADMINISTRATION... PAS DE DISCUSSIONS! EN TANT QUE CHARGÉ D'AFFAIRES AGRICOLES, JE LÈVE UN IMPÔT SUR LES POULAILLERS! ET GARE À VOUS, SI ELLES NE SONT PAS BONNES PONDEUSES!...

Panel 6: MAIS... QU'EST-CE QUE C'EST?

CONTRAVENTION! VOUS ÊTES GARÉ DU MAUVAIS CÔTÉ DE LA RUE!

Panel 7: HEP, LÀ-BAS!!

Panel 8: CONTRAVENTION! CETTE RUE EST À SENS UNIQUE ET VOUS ÊTES DANS LE SENS INTERDIT!

MAIS... MAIS IL N'Y A QU'UNE SEULE RUE À FRONTIER-CITY!...

UN ÉTABLISSEMENT DE FRONTIER CITY PROSPÈRE SOUS LA NOUVELLE ADMINISTRATION...

BON! HUIT JOURS DE PRISON À 5 DOLLARS PAR JOUR, ÇA FAIT 40 DOLLARS...

MAIS...

BEN OUI! TU NE VOUDRAIS PAS QUE CE SOIT L'ÉTAT QUI PAIE TA PENSION, TOUT DE MÊME...

ET TANDIS QUE LE MAÎTRE DE LA VILLE SÈME LA TERREUR PAR SON SEUL PASSAGE...

FRONTIER CITY DEVIENT RAPIDEMENT LA VILLE LA PLUS DÉVOYÉE DE L'OUEST.

LES TRIPOTS ET LES BAGARRES SE MULTIPLIENT...

LA RENOMMÉE DE FRONTIER CITY ATTIRE BIENTÔT D'ÉTRANGES VISITEURS...

SI FEU NOS COUSINS ÉTAIENT LÀ, ILS SE SERAIENT AMUSÉS DANS CETTE VILLE...

À NOUS DE RENDRE LEUR NOM IMPÉRISSABLE...

LE LIVRE DE L'HÔTEL PORTE DES NOMS PRESTIGIEUX...

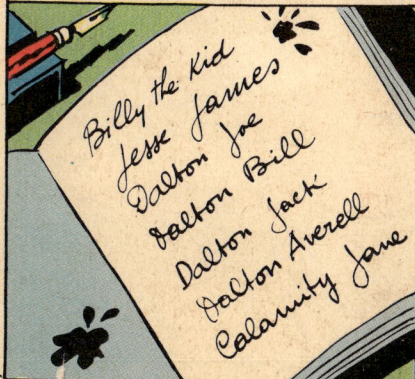

Billy the kid
Jesse James
Dalton Joe
Dalton Bill
Dalton Jack
Dalton Averell
Calamity Jane

SEUL UN HOMME RÊVE ENCORE DE FAIRE RESPECTER LA LOI ET LA DÉCENCE DANS LA MALHEUREUSE PETITE VILLE...

BIEN QUE POUR CERTAINS LES AFFAIRES SOIENT PROSPÈRES.

POMPES FUNÈBRES
FUNÉRAILLES DE TOUTES CLASSES ET PARTOUT
— ENSEVELISSEMENT JOUR ET NUIT —

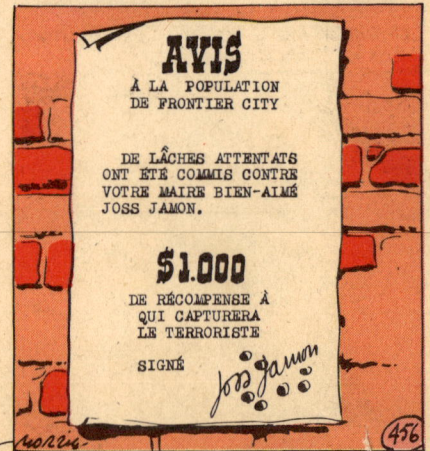

WANTED!

LUCKY LUKE
MORT OU VIF
VIF $10.000.
MORT $15.000.

LE GRAND AIR NOUS FERA DU BIEN, OLD BOY !... FRONTIER CITY DEVENAIT MALSAIN...

VOICI UN LOGIS QUI FERAIT NOTRE AFFAIRE !... JE VAIS VISITER...

GRRRR GRR PAN PAN!

TU PEUX VENIR, JOLLY JUMPER! L'ANCIEN LOCATAIRE A DÉMÉNAGÉ...

MIAOU !...

ET MAINTENANT QUE NOUS SOMMES CHEZ NOUS, PROCÉDONS À UNE PETITE TRANSFORMATION...

QU'EN PENSES-TU, MON VIEUX ?

HIHIHIHIHI...

ATTENDS-MOI LÀ, JE VAIS À FRONTIER CITY, ET MÊME AVEC UNE BARBE TU SERAIS RECONNAISSABLE...

VOUS ALLEZ À FRONTIER CITY, GRAND-PÈRE ?

OUI, MON GARÇON...

VOUS ÊTES TROP ÂGÉ POUR VOUS PROMENER SEUL SUR LES ROUTES, GRAND-PÈRE !...

QUI VOUDRAIT FAIRE DU MAL À UN PAUVRE VIEILLARD, MON GARÇON ? (VOIX CHEVROTANTE)

NOUS SOMMES ARRIVÉS À FRONTIER CITY, GRAND-PÈRE... VOULEZ-VOUS QUE JE VOUS AIDE À DESCENDRE?

CE NE SERA PAS NÉCESSAIRE, MON GARÇON, MERCI...

EH BÉ! VOUS ÊTES BIEN CONSERVÉ, VOUS!

JE MANGE BEAUCOUP DE YAOURT...

NOTRE AIMABLE CLIENTÈLE EST PRIÉE DE DÉPOSER SES ARMES À L'ENTRÉE.

JE PEUX JOUER AVEC VOUS, JEUNE HOMME?

HMM?

HIHIHI!... ICI CE N'EST PAS UN ASILE DE VIEILLARDS! VA DONC MANGER DES BISCOTTES, OLD TIMER!

GALOPIN! DU RESPECT POUR MES CHEVEUX BLANCS, GALOPIN!

D'ACCORD, VIEUX COYOTE! VIENS TE FAIRE PLUMER!

GALOPIN! JE JOUAIS AU POKER QUAND TU ÉTAIS ENCORE EN MAISON DE CORRECTION!

TRICHEUR! GALOPIN!

OUAPP!!!

CLOP!

GALOPIN! GALOPIN!!

MAIS.. OÙ L'AI-JE MIS?!

(AH! LE VOILÀ!)... FAIS TES PRIÈRES, VIEILLE BRANCHE! TES BOTTES ONT TROP LONGTEMPS TRAÎNÉ SUR CETTE TERRE!

GALOPIN!

459

EH BIEN, C'EST DU JOLI!

LE MÉCONTENTEMENT GAGNE LA VILLE, JOSS! IL FAUT FAIRE QUELQUE CHOSE! ÇA NE TOURNE PAS ROND!!

OUAIS... NOUS ALLONS COMMENCER PAR RECONSTRUIRE LE SALOON, PUIS NOUS ALLONS OFFRIR UNE FÊTE POUR TOUTE LA POPULATION!... ÇA REMONTERA LE MORAL DÉFAILLANT!

PEU APRÈS...

BIENTÔT RÉOUVERTURE DU SALOON
TOUT FRONTIER CITY EST INVITÉ À BOIRE AUX FRAIS ET À LA SANTÉ DE JOSS JAMON!!

PEU APRÈS... (C'EST-À-DIRE, EN MÊME TEMPS, MAIS AILLEURS.)

AH! VOILÀ CE QUE J'ATTENDAIS..

EH! L'AMI! UN INSTANT!...

VOUS TRANSPORTEZ DES BOISSONS POUR LE SALOON DE FRONTIER CITY?

OUAIS, IL PARAÎT QUE TOUT LEUR STOCK A ÉTÉ DÉTRUIT DANS UNE BAGARRE..

JE VOUS ACHÈTE VOTRE VÉHICULE AVEC SA CAR-GAISON ---

FAUT-IL QUE VOUS AYEZ SOIF!!!

NOUS ALLONS BIEN RIRE, MON VIEUX JOLLY JUMPER...

QUE PENSES-TU DE CE NOUVEAU DÉGUISEMENT, AMIGO ?..
PFF! HIHIHIHIHI!
...DE LEJOS VENGO AY AY AY...
C'EST POUR LA LIVRAISON DES BOISSONS, AMIGO...
IL ÉTAIT TEMPS!... L'INAUGURATION EST PRÉVUE POUR TOUT À L'HEURE! PAYEZ-VOUS ET DÉCHARGEZ-MOI ÇA!!
BON! TOUT EST PRÊT! VOUS POUVEZ ENTRER, LES AMIS! C'EST MOI QUI OFFRE!...
HIC!
GULP!
GULP
GULP
GULP
MAIS C'EST DE L'EAU!!
AH? HIC! C'EST DONC ÇA, L'EAU?.. C'EST PAS MAUVAIS, C'EST CURIEUX...
MORRIS

AU TRIPLE GALOP, VIEUX FRÈRE! IL FAUT FILER! ILS M'ONT SUIVI À LA TRACE!!

LE VOILÀ! EN AVANT! NOUS L'AURONS!

SIX CHEVAUX NE COURENT PAS PLUS VITE QU'UN SEUL!! NOUS AVONS UNE CHANCE D'ÉCHAPPER À CES COYOTES!!...

ESSAYONS DE NOUS PERDRE PARMI LES ROCHERS.

C'EST LA FIN DE LA ROUTE POUR NOUS!

IL EST FAIT COMME UN LAPIN!...

IL ME LE FAUT, CE LAPIN...

AVEC LES LASSOS! ALLONS-Y!!

HÉLÀ!!

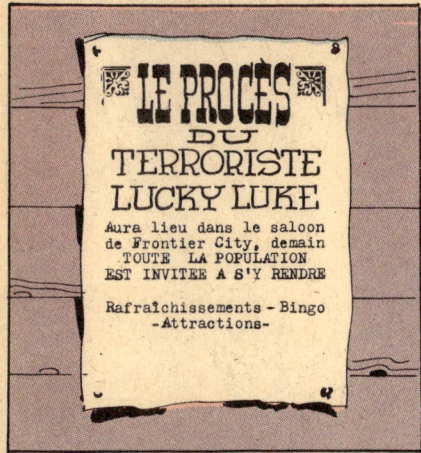

LE PROCÈS DE FRONTIER CITY CONTRE LUCKY LUKE EST OUVERT!

CE PROCÈS SE FERA DANS LES RÈGLES, ET L'ACCUSÉ BÉNÉFICIERA DE TOUTES LES GARANTIES DE LA JUSTICE!

EXTRA! DEMANDEZ LE "FRONTIER CITY FLAMBEAU" AVEC TOUS LES DÉTAILS DE LA CONDAMNATION À MORT DE LUCKY LUKE!!...

PSST

SILENCE! OU JE FAIS ÉVACUER LA SALLE!

G!

--PLUS TARD---

APRÈS CETTE SUSPENSION, LA PAROLE EST À L'ACCUSATION!

MESSIEURS DAMES DU JURY, CHERS CONCITOYENS...

LE JURY A DÉBILÉ...EUH DÉLIBÉRÉ ET DÉCLARE L'ACCUSÉ COUPABLE!

VEUX-TU ME LAISSER FINIR, TÊTE DE PIOCHE!

MAIS, JOSS TU M'AVAIS DIT...

-MORRIS-

HAHAHA! HOHOHO!!

GLOUGLOU....

DE QUOI? TU VEUX TE MESURER AVEC MOI GALOPIN!?

PRENDS ÇA!

SUSPENSION DE SÉANCE JUSQU'À CE QUE LE CALME SOIT RÉTABLI!!!

PLUS TARD...

...ET JE CÈDE LA PAROLE À MON HONORABLE ADVERSAIRE, L'AVOCAT DE LA DÉFENSE—

UGH

BON, LES PLAIDOIRIES ÉTANT TERMINÉES, LE JURY A-T-IL DÉLIBÉRÉ?

EUH...EUH.. COUPABLE! C'EST ÇA! L'ACCUSÉ, IL EST COUPABLE!

LUCKY LUKE, VOUS ÊTES CONDAMNÉ À ÊTRE PENDU PAR LE COU JUSQU'À CE QUE MORT S'ENSUIVE ET N'Y REVENEZ PLUS!

À FORCE DE ME FAIRE CONDAMNER À MORT IL M'ARRIVERA MALHEUR!

C'EST ENNUYEUX! SI JE NE RAMÈNE PAS LA BANDE DE JAMON À LOS PALITOS, JE DOIS ALLER M'Y FAIRE PENDRE. OR COMMENT POURRAIS-JE ALLER M'Y FAIRE PENDRE SI JAMON ME PEND ICI ?!?!?!

MAIS UNE AGITATION ÉTRANGE GAGNE LA VILLE---

CE PROCÈS M'A SEMBLÉ LOUCHE!...

OUAIS... ON DIT QUE C'ÉTAIT DU CHIQUÉ...

OUAIS... ÇA FAIT DES MOIS QUE JOSS JAMON EST AU POUVOIR! C'EST TROP!!

OUAIS... FAUT FAIRE QUELQUE CHOSE!

OUAIS...

(SILENCE LOURD DE CONSÉQUENCES...)

MAIRIE

JOSS, ÇA SE GÂTE!

QU'EST-CE QUI SE GÂTE?

TOUT! LES GENS FONT UNE DRÔLE DE TÊTE! JE ME DEMANDE S'ILS NE VONT PAS ESSAYER QUELQUE CHOSE...

BAH! TANT QUE JE TIENDRAI LA MAIRIE, OÙ NOUS SOMMES, ILS NE RISQUERONT RIEN!...

MAIRIE

BOUM

— MORRIS — 468

JE PASSE...

HM... ÇA RISQUE DE DURER LONGTEMPS...

OUAIS...

LAISSEZ-MOI PASSER, GAMINS!

JE SAIS OÙ IL Y A UN CANON, GAMINS...

SUIVEZ-MOI! C'EST PAR LÀ, GAMINS! PLUS VITE!!

JE VOUS SUIS ET JE VOUS POUSSE...

C'EST ICI!!! UN BEAU CANON! UN PETIT SOUVENIR QUE J'AI RAMENÉ DE LA GUERRE CONTRE LES PEAUX-ROUGES!

TIENS, TIENS! UNE FOIS QU'ON AURA ÉCARTÉ LA VOLAILLE, CE CANON PEUT ÊTRE UTILE!.

ATTENTION POUDRE

TIENS, IL Y A MÊME UN CLAIRON!! J'ÉTAIS TROMPETTE DU RÉGIMENT PENDANT LA GUERRE...

TARiiii TA TAAA TARAAAA!..

LE CLAIRON!

L'ARMÉE À LA RESCOUSSE!

IL FAUT TOUJOURS QU'ILS SE MÊLENT DE TOUT, CEUX-LÀ!!

ASSEZ RI ! TROMPETTE, SONNE LE CESSEZ LE FEU ET DONNE-MOI TA CHEMISE !

HMM ?..

TARIII TARAAAA... TATAA !!

QU'EST-CE QUE C'EST ENCORE ? !!

ÉCOUTEZ-MOI, VOUS AUTRES !

L'ARMÉE EST LÀ ! VOUS N'AVEZ AUCUNE CHANCE DE VOUS EN SORTIR VIVANTS ! RENDEZ-VOUS !

BON ! EH BIEN ! MOI, JE ME RENDS--

FAIS UN PAS DE PLUS ET GARE À TOI !...

BON, EH BIEN ! JE NE FAIS PLUS UN PAS DE PLUS--

TU AS QUELQUE CHOSE À DIRE, TOI ??? !!

UGH !

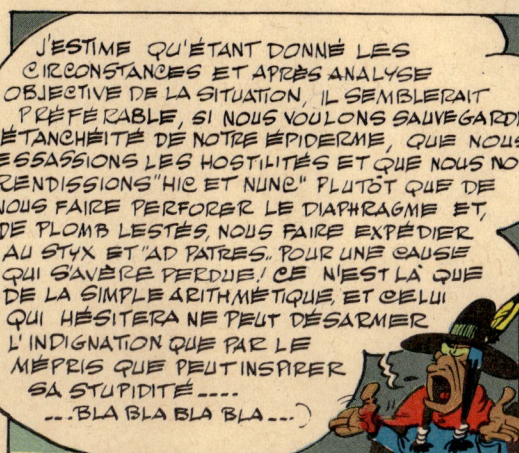

J'ESTIME QU'ÉTANT DONNÉ LES CIRCONSTANCES ET APRÈS ANALYSE OBJECTIVE DE LA SITUATION, IL SEMBLERAIT PRÉFÉRABLE, SI NOUS VOULONS SAUVEGARDER L'ÉTANCHÉITÉ DE NOTRE ÉPIDERME, QUE NOUS CESSASSIONS LES HOSTILITÉS ET QUE NOUS NOUS RENDISSIONS "HIC ET NUNC" PLUTÔT QUE DE NOUS FAIRE PERFORER LE DIAPHRAGME ET, DE PLOMB LESTÉS, NOUS FAIRE EXPÉDIER AU STYX ET "AD PATRES". POUR UNE CAUSE QUI S'AVÈRE PERDUE ! CE N'EST LÀ QUE DE LA SIMPLE ARITHMÉTIQUE, ET CELUI QUI HÉSITERA NE PEUT DÉSARMER L'INDIGNATION QUE PAR LE MÉPRIS QUE PEUT INSPIRER SA STUPIDITÉ----

--BLA BLA BLA BLA---

PLUS TARD--

--JE CONCLUS DONC EN MANIFESTANT "AB IMO PECTORE" MON INTENTION "IN TERMINIS" DE CAPITULER SANS CONDITIONS ET D'OCCIRE PAR LE FER QUICONQUE AURAIT LA PRÉTENTION DÉPLACÉE DE M'EN EMPÊCHER ! J'AI DIT !

REGARDEZ !

BANDE DE LÂCHES!

MAIS MOI, ILS NE M'AURONT PAS!...

OUPS! RATÉ!

MAIS IL ME SEMBLE QUE JOSS JAMON N'EST PAS AVEC EUX!

FRONTIER CITY'S SALOON

JE VAIS POURSUIVRE JOSS JAMON! IL NE PEUT PAS ÊTRE LOIN!... EN ATTENDANT, METTEZ CES OISEAUX EN PRISON JUSQU'À MON RETOUR!...

OK, LUKE..

LES CHEVAUX DU FAR WEST SONT TELLEMENT HABITUÉS À CE QU'ON LES SIFFLE POUR LES APPELER QU'ILS VIENNENT TOUS!... CE VIEUX JOLLY JUMPER! ÇA FAIT PLAISIR DE LE REVOIR!...

HIHIHIHIHIHIHIHI...

BON! VOUS AUTRES, AU TRAVAIL! VOUS ALLEZ RECONSTRUIRE LA PRISON POUR Y LOGER!...

CE N'EST PAS LA PEINE DE FAIRE DU ZÈLE, ANIMAL!!!

EST-CE DE MA FAUTE À MOI SI JE SUIS FORT ET TRAVAILLEUR?

42

ADIOS, FRONTIER CITY!
JE SUIS PRESQUE SAUVÉ!...

DOMMAGE! C'ÉTAIT UNE
BONNE PETITE VILLE...
ON AURAIT PU ENCORE EN
TIRER QUELQUE CHOSE...

ALLONS! PAS DE
REGRETS! UNE FOIS QUE
J'AURAI TRAVERSÉ
LE DÉSERT, JE
SERAI SAUVÉ!...

LE DÉSERT! ARIDE, TERRIBLE, GIGANTESQUE... PAS GAI.

TIENS! DU MONDE...

VOILÀ NOTRE "HOMBRE"...

ON NE PEUT
JAMAIS ÊTRE
TRANQUILLE!...

LES HABITANTS DU DÉSERT, CAR
IL Y EN A BEAUCOUP, SONT PRIS
DE TERREUR DEVANT CE BRUIT
INHABITUEL...

43

TE VOILÀ AU BOUT DE TES PEINES ET AU DÉBUT DE TES ENNUIS, JOSS NOUS ARRIVONS À FRONTIER CITY..

HÉ! LES GARS! VOILÀ LUCKY LUKE AVEC JOSS JAMON!

RESTEZ PARMI NOUS, LUKE! NOUS VOUS OFFRONS LE POSTE DE MAIRE DE FRONTIER CITY QUE VOUS AVEZ NETTOYÉE ---

NON, IL FAUT QUE J'EMMÈNE LA BANDE À LOS PALITOS. J'AI PROMIS DE LES RAMENER AU BOUT DE SIX MOIS ET LE DÉLAI EST PRESQUE RÉVOLU... FAITES DES ÉLECTIONS LIBRES POUR TROUVER UN MAIRE...

PEU APRÈS...

VOTEZ POUR JONES UNE ADMINISTRATION DYNAMIQUE!

VOTEZ POUR PEDRO AMONEZ UNE ADMINISTRATION DE TOUTES POUR L'INSTRUCTION DU PEUPLE!

VOTEZ POUR PETIT JOE UNE ADMINISTRATION ÉCONOMIQUE!

♪ ...MULE TRAIN... ♪ CLIPPITY CLIPPITY CLIPPITY CLOP...

SI JE POUVAIS SEULEMENT ASSOMMER JOSS JAMON, JE SERAIS HEUREUX!..

EN TÉMOIGNANT CONTRE LES AUTRES, JE M'EN TIRERAI PEUT-ÊTRE À BON COMPTE..

TOUT ÇA C'EST LA CONSÉQUENCE D'UNE ENFANCE MALHEUREUSE. MES COMPLEXES M'ONT AMENÉ LÀ..

SI JE M'EN TIRE, JE GAGNERAI HONNÊTEMENT MA VIE EN TRICHANT AU JEU...

YGH!

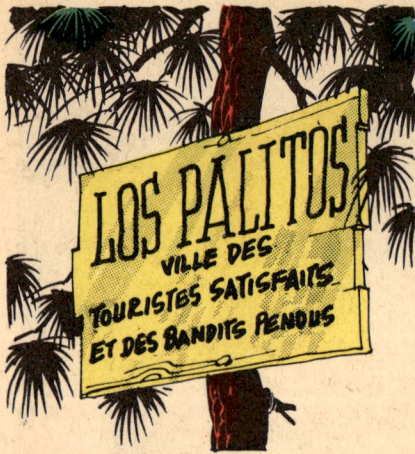

LE MONDE ENTIER
LIT LE

JOURNAL DE SPIROU

Nos autres Albums...

LES AVENTURES DE SPIROU
par FRANQUIN

Quatre Aventures de Spirou et Fantasio
Il y a un Sorcier à Champignac
Les Chapeaux noirs
Spirou et les Héritiers
Les Voleurs du Marsupilami
La Corne du Rhinocéros
Le Dictateur et le Champignon
La Mauvaise Tête
Le Repaire de la Murène
Les Pirates du Silence
Le Gorille a Bonne Mine
Le Nid des Marsupilamis
Le Voyageur du Mésozoïque
Le Prisonnier du Bouddha
Z comme Zorglub
L'Ombre du « Z »
Spirou et les Hommes-Bulles

JERRY SPRING
par JIJE

Golden Creek
Yucca Ranch
Lune d'Argent
Trafic d'Armes
La Passe des Indiens
La Piste du Grand Nord
Le Ranch de la Malchance
Les Trois Barbus de Sonoyata
Fort Red Stone
Le Maître de la Sierra
La Route de Coronado
El Zopilote
Pancho, Hors-la-Loi
Les Broncos du Montana
Mon Ami Red

BLONDIN ET CIRAGE
par JIJE

Le Nègre blanc
Kamiliola
Silence, on tourne
Soucoupes volantes

LES NOUVELLES AVENTURES DE BUCK DANNY
par J.-M. CHARLIER et V. HUBINON

Les Trafiquants de la Mer Rouge
Pilotes d'essai
Un Avion n'est pas rentré
Patrouille à l'Aube
NC 22654 ne répond plus
Menace au Nord
Buck Danny contre Lady X
Alerte en Malaisie
Le Tigre de Malaisie
S.O.S. Soucoupes volantes
Un prototype a disparu
Top Secret
Mission sur la Vallée perdue
Prototype FX 13
Escadrille ZZ
Le Retour des Tigres Volants
Les Tigres Volants à la Rescousse
Tigres Volants contre Pirates
Opération Mercury
Les Voleurs de Satellites
X-15
Alerte à Cap Kennedy

IMAGES DE L'HISTOIRE DU MONDE
par SIRIUS et X. SNOECK

La Tribu de l'Homme rouge
La Colonne ardente
Le Talisman de Timour
Le Glaive de Bronze
Le Captif de Carthage
Le Fils du Centurion
Le Gladiateur masqué
Timour contre Attila
Le Cachot sous la Seine
Le Cavalier sans Visage
La Francisque et le Cimeterre
Timour d'Armor
Mission à Byzance
Le Drakkar rouge
Alerte sur le Fleuve
Le Serment d'Hastings
L'Ombre du Cid
La Galère Pirate

BENOIT BRISEFER
par PEYO et WILL

Les Taxis Rouges
Madame Adolphine

LUCKY LUKE LE COW-BOY
par MORRIS

No 6 - Hors-la-Loi
No 7 - L'Elixir du Dr Doxey
No 8 - Lucky Luke contre Phil Defer
No 9 - Des Rails sur la Prairie
No 10 - Alerte aux Pieds Bleus
No 11 - Lucky Luke contre Joss Jamon
No 12 - Les Cousins Dalton
No 13 - Le Juge
No 14 - Ruée sur l'Oklahoma
No 15 - L'Evasion des Dalton
No 16 - En remontant le Mississipi
No 17 - Sur la Piste des Dalton
No 18 - A l'Ombre des Derricks
No 19 - Les Rivaux de Painful-Gulch
No 20 - Billy the Kid
No 21 - Les Collines noires
No 22 - Les Dalton dans le Blizzard
No 23 - Les Dalton courent toujours
No 24 - La Caravane
No 25 - La Ville fantôme
No 26 - Les Dalton se rachètent
No 27 - Le 20e de Cavalerie
No 28 - L'Escorte

VIEUX NICK
par REMACLE

Pavillons noirs
Le Vaisseau du Diable
Les Mangeurs de Citron
L'Ile de la Main ouverte
Les Mutinés de la Sémillante
Dans la Gueule du Dragon
Aux Mains des Akwabons
Sa Majesté se rebiffe
L'Or du « El Terrible »

LA RIBAMBELLE
par ROBA

No 1 - La Ribambelle gagne du Terrain

HULTRASSON LE VIKING
par REMACLE et DENIS

Fais-moi Peur, Viking

MARC DACIER
par J.-M. CHARLIER et Eddy PAAPE

Aventures autour du Monde
A la Poursuite du Soleil
Au-delà du Pacifique
Les Secrets de la Mer de Corail
Le Péril guette sous la Mer
Les 7 Cités de Cibola

TIF ET TONDU
par WILL et ROSY

Le Retour de Choc
Plein Gaz
La Villa du Long-Cri
Choc au Louvre

GASTON
par FRANQUIN et JIDEHEM

No 2 - Gala de Gaffes
No 3 - Gaffes à Gogo
No 4 - Gaffes en Gros

GIL JOURDAN
par TILLIEUX

Libellule s'évade
Popaïne et Vieux Tableaux
La Voiture immergée
Les Cargos du Crépuscule
L'Enfer de Xique-Xique
Surboum pour 4 Roues
Les Moines rouges
Les 3 Tâches

LES SCHTROUMPFS
par PEYO

Les Schtroumpfs noirs
Le Schtroumpfissime

MICHEL ET THIERRY
par PIROTON et JADOUL

Le Grand Raid

JOHAN
par PEYO

La Pierre de Lune
Le Serment des Vikings
La Source des Dieux
La Flèche noire
Le Sire de Montrésor
La Flûte à Six Schtroumpfs
La Guerre des 7 Fontaines
L'Anneau des Castellac
Le Pays maudit

JEAN VALHARDI DÉTECTIVE
par J.-M. CHARLIER et Eddy PAAPE

Le Château maudit

par JIJE

Valhardi contre le Soleil Noir
Le Gang du Diamant
L'Affaire Barnes
Le Mauvais Œil
Le Secret de Neptune
Rendez-vous sur le Yukon
Le Retour de Jean Valhardi
Le Grand Rush

BOULE ET BILL
par ROBA

60 Gags de Boule et Bill (No 1)
60 Gags de Boule et Bill (No 2)

CHAMINOU
par R. MACHEROT

Chaminou et le Krompire

LA PATROUILLE DES CASTORS
par MITACQ

Le Mystère de Grosbois
Le Disparu de Ker-Aven
L'Inconnu de la Villa Mystère
La Piste de Mowgli
La Bouteille à la Mer
Le Trophée de Rochecombe
Le Secret des Monts Tabou
Le Hameau englouti
Le Traître sans Visage
Le Signe indien
Les Loups écarlates
Menace en Camargue
La Couronne cachée

DIVERS

Blanc Casque
Mermoz
Don Bosco
Baden-Powell
Emmanuel
Charles de Foucauld

LES MERVEILLES DE LA VIE

Les Secrets de la Chimie
La Lutte de l'Organisme
La Vie de l'Atome
La Vie du Rail
La Vie des Arbres
Le Feu du Ciel
Automates et Robots
Vents, Tempêtes et Cyclones
La Vie d'un Film
La Conquête des Pôles
La Grande Famille des Serpents
Verre, Glaces et Cristaux
Nuages, Pluie et Neige
La Vie du Cinéma
Le Verre moderne